我的吸血鬼同學

24
和平之翼

創作繪畫・余遠鍠　　故事文字・陳四月

目錄

迦南

擁有金黃魔力的人類少女。好奇心重，領悟力強，平易近人的她曾被黑暗勢力封印起她的魔力，是九頭蛇想捉拿的人。

安德魯

吸血鬼高材生。外形冷酷，沈默寡言，喜歡閱讀的他想找出失蹤多年的父親，與迦南兩情相悅。

美杜莎

蛇髮妖族的後裔。她曾嫉妒受歡迎的迦南，但現時二人已成為朋友。

米露

身手靈活的貓女。有收集剪報的習慣，熱愛攝影的她夢想成為魔法世界的記者。

阿諾特

吸血鬼一族的丁子，是被寄予厚望的天才。追求力量和榮耀的他自視高人一等，對同樣被視為天才的安德魯抱有敵意。

艾爾文

隸屬公會的吸血鬼獵人。因為父親被吸血鬼害死而十分痛恨吸血鬼，個性剛烈的他擅長使用長劍。

艾翠絲

艾爾文的妹妹。同樣因為仇恨踏上獵人之路，以一把手槍協助艾爾文執行任務，是艾爾文最重要的親人和拍檔。

愛莉

人魚族的公主，既是金黃魔力持有者，也是海洋之都未來的領導人。她的歌聲充滿了溫柔而強大的魔力。

舒雅

魔法萬事屋的店長，也是魔幻學院的畢業生。不只魔法了得，還懂得製作魔法道具。

摩卡

魔法萬事屋的吉祥物，是一隻會說話和會使用魔法的黑貓。

海德拉

才華洋溢的天才魔法師，為拆穿王國的謊言、揭露歷史真相而不惜犧牲一切，是令人聞風喪膽的黑魔法派領袖。

米迦勒

七大守望者之首，也是統領獵人公會多年的人。深藏不露的他從不在人前展現自己真正的實力。

我的
吸血鬼同學

第一章

同盟結集

人界的市中心內，黑魔法派和獵人公會爆發的戰爭進入**白熱化**階段，在米迦勒的帶領下，獵人在這場戰爭取得壓倒性的優勢，黑魔法派已成**強弩之末**。

但獵人沒有打算放過妖魔，就算勝負已分，他們仍然打算趕盡殺絕。

「妖魔全都是死不足惜的。」新編制的獵人手持魔力槍炮，準備向已無力反抗的妖魔進行處決。

「黑炎火焰箭雨！」阿諾特從天而降，把獵人手上的武器全部摧毀。

「你們……不想死的話便立即離開。」雖然憤怒，但阿諾特沒有因此而沖昏頭腦，忘記自己的重任。

「老大，我們已照你的吩咐，把被困瓦礫底下的人類救出了。」黑狼奇洛等人狼積極參與救援工作，盡量減低這場戰爭帶來的傷亡。

「大家拿著符咒吧，它會把你們傳送到安全的地方。」鳥人露比向黑魔法派的殘黨派發符咒，他們所做的事情，和丹妮絲的伙伴正在做的一模一樣。

「你們先回大本營照顧傷者吧，我還要去和丹妮絲會合。」阿諾特之所以會出現在此，是因為他和丹妮絲結成了同盟。

較早前，在傳送門全線關閉後，阿諾特收容了大量流離失所的妖魔，但這只能緩解**燃眉之急**，獵人遲早會找到這個收容所。

正當他為自己的無力懊惱萬分之際，丹妮絲與她召集而來的伙伴們找到了阿諾特。

「別來無恙嗎？阿諾特。」丹妮絲的出現是阿諾特始料不及的。

「丹妮絲……」阿諾特殺死了丹妮絲曾深愛的人，雖然是迫於無奈，但他對丹妮絲感到十分抱歉。

「能借一步說話嗎？」丹妮絲已走出傷痛，而且從魔幻世界帶來了最強的援軍——魔幻學園的三位資深老師史提芬、玥華和法蘭、皇家騎士團團長卡隆、女兒國女帝鳳禧、齊天大聖孫悟空，還有唐三藏。

他們都擁有頂尖實力和豐富經驗，丹妮絲帶來的是，全都是魔幻世界中的精銳。

在迦南和安德魯的實習生活開始前，專業獵人丹妮絲辭退了她的獵人工作。她為獵人公會**盡心盡力**，服務了漫長的時間，曾經她為此感到自豪，感到光榮，直至她發現了獵人公會總部的秘密。

因為聽了右京的遺言，丹妮絲偷偷潛入總部的地下，發現了其他守望者也不知道的隱藏地帶——那個由米迦勒秘密興建的**魔法城市**。

右京說得沒有錯……更多的人體實驗完成品，就藏在公會之下。如果米迦勒成功實行全民魔力覺醒計劃，人魔和妖魔的全面戰爭在所難免。

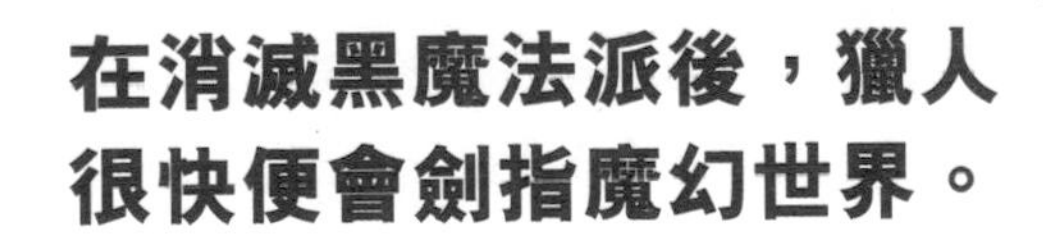

在消滅黑魔法派後，獵人很快便會劍指魔幻世界。

丹妮絲難以接受，天啟財團不過是米迦勒用來掩飾身份而設立；由始至終她要擊潰的目標原來在獵人公會總部之內，公會才是最**腐敗不堪**的地方。她看穿了米迦勒的意圖，他要令全部人類獲得魔法力量，繼而向魔幻世界徹底發動戰爭。

「東方聯合國和魔幻王國已在為人類的侵襲做準備，我能找到的幫手，就只有他們。」丹妮絲意識到留在人界是無法阻止米迦勒的，所以她隻身走遍魔幻世界，召集志同道合而且有足夠實力的人，和她一起推倒公會。

自從皇城保衛戰後，魔幻世界所有國民也知道了妖魔被迫遷離家鄉的歷史，對人類抱有敵意，想重返人界的妖魔為數不少。

再加上妖魔三仙人製造的東方亂局，背後也是由人類所推動，人類希望魔幻世界**四分五裂**的企圖已被揭穿。所以東西兩方的領袖，不願借出更多的兵力，以防止和人類展開全面戰爭。

還有我和這裡的妖魔，我們也不想見到兩界大戰再次發生，我願意動用所有資源，全力協助你。

阿諾特相信集合他和丹妮絲的力量，還有機會扭轉局面。

艾翠絲的眼光果然沒有錯，你是個值得信賴的好傢伙。

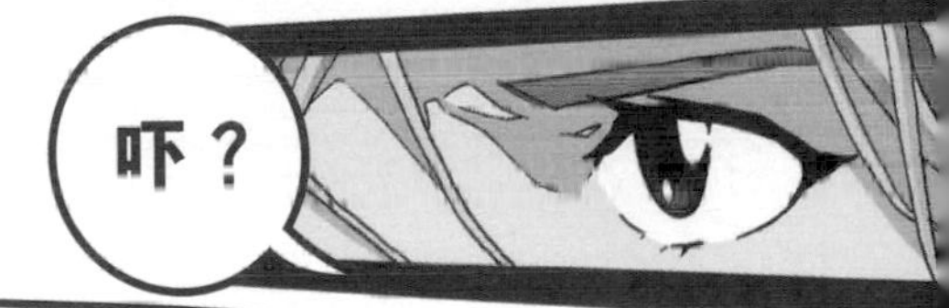

若沒有你的帶領，這裡的妖魔大多數已成獵人的刀下亡魂。是你的堅持和付出，成就了這個烏托邦。

在這裡生活的妖魔，雖然**前路茫茫**，但他們還是面帶笑容，和睦地生活在一起。就算丹妮絲等人類出現在這裡，他們也沒有展現出敵意，全因為他們對阿諾特十分信任。

丹妮絲，你不憎恨我嗎？
不，這是右京的選擇……能在生命結束前和你全力一戰，我相信他已沒有遺憾了。

丹妮絲拯救不到右京，但還有很多人活在水深火熱之中等待她的援手。她能夠做的，就只有積極向前。

「老大，黑魔法派發起進攻了，他們正在市中心和獵人打起來。」奇洛上前匯報。

「阿諾特，我們不能讓海德拉葬身人界，這會令支持他的妖魔變得更激進……」丹妮絲說。

若海德拉在人界**壯烈犧牲**，身在魔幻世界的妖魔便會把他視作烈士，成為反抗人類的精神領袖，這只會令兩族的紛爭更難以平息。

「還有迦南，沒有迦南的話，米迦勒的計劃便不會成功。」丹妮絲接著說。

「要說服她應該很易辦得到吧？不只她的父母，你還把她的朋友帶來了。」阿諾特看著不遠處的卡爾和四葉說。

「你要謹記一點，現在的迦南很有可能已不是我們所認識的迦南。我為了尋找伙伴已去了賢者之城一趟，得知了和米迦勒有關的信息，幻之守望者米迦勒……可能比我們想像中更加危險。」丹妮絲面有難色的說。

魔幻世界的歷史，是由迦莉創造了魔幻世界，給妖魔遷徙定居後才正式開始的，只有海德拉看過的那本古籍記載了人類和妖魔大戰的歷史。丹妮絲發現了有一個人類的名字，在這本古籍中被輕輕帶過，**這人低調得彷彿不想被人記住，這人便是米迦勒。**

第二章 失控的女王

人界市中心的上空，迦南手持著「女王的權杖」和海德拉**正面交鋒**，金黃魔力和黑魔法互不相讓，激烈地碰撞在一起。

「是誰在擾亂我的計劃？」米迦勒編寫的劇本本來發展得十分順利，但一股不容忽視的勢力突然加入戰場，這勢力正是丹妮絲和阿諾特的同盟。

「現在是關鍵時刻……只要女王殺掉九頭蛇，一切便成定局。」然而米迦勒現在的注意力全部集中在迦南身上，無暇顧及這個變數。

「殺死女王是九頭蛇的宿命，你也不會例外！」海德拉身後伸延出八條長蛇，每一條蛇也噴發著黑暗的魔力。

迦南在轉生魔鏡中曾親眼目睹，上一輩子的女王是怎樣慘死在九頭蛇的手上，但這次不一樣。

「這次的結局不會是這樣了，黃金牆壁。」迦南正值**巔峰狀態**，她的防禦魔法滴水不漏。

迦莉為了創造魔幻世界費盡心力，也把自己的魔力全部投放在灌溉魔界樹之上，但現在迦南狀態十足，她有百分百的信心能打破宿命。

「我們的恩怨也糾纏得夠久，是劃上句號的時候了，**黑暗轟雷魔法**！」海德拉全力進攻。

從年幼時被綁架，到皇城保衛戰，每一次面對海德拉時，迦南也有安德魯在她的身邊守護她，但這一次迦南不需要別人守護。

「**過去因為你，我差點失去了我最珍惜的人。**」迦南轉移消失在海德拉眼前。

「黑風龍捲魔法！」海德拉以龍捲包圍自己，這**攻守兼備**的魔法令迦南難以接近。

「現在因為你，無數人類也在失去他們的至親。」無法接近，但迦南的魔法能轉移傳送到任何地方。

「黃金魔法，流星疾風。」迦南把攻擊魔法直接傳送到黑龍捲內，令海德拉防不勝防。

「唯有消滅你這罪惡的根源，才能結束

這場戰爭。」迦南乘勝追擊，更強大的魔力集中在魔法杖上。

迦南的眼睛透亮著紫色光芒，這是她受到米迦勒的魔力影響所導致。

「沒有你，魔幻世界才能有真正安穩的日子。」海德拉身經百戰，下一波攻勢已蓄勢待發。

幻之守望者，米迦勒的力量能在不知不覺的情況下把他人變成自己的棋子，任意操控。

「黃金魔法，彗星衝擊！」迦南的攻擊充滿殺意，她全力施展的魔法足以致命。

「黑焰爆裂魔法！」海德拉也一樣，他們之間的戰鬥勢要至死方休。

金黃魔力和***漆黑魔力***互不相讓，兩度強光在空中奪目耀眼，戰場上無論是人類或妖魔也無不被深深吸引。

「完美，我這次栽培的女王實在太完美了。」米迦勒興奮得身體發抖，迦南的年紀，比昔日被九頭蛇偷襲時的迦莉年輕許多，但實力卻比迦莉有過之而無不及。

米迦勒很了解迦莉，因為上一個女王，也是由他親手創造的。

「受死！」海德拉背後的八條毒蛇伸延到迦南面前。

這些毒蛇，曾經是迦南的惡夢，但現在她不再害怕了。迦南能感覺到魔力源源不絕，像是無所不能，就算是黑魔法派的首領也不是她的對手。

「要死的，是一再危害兩界和平的你！」女王的權杖呼應迦南的魔力化作黃金魔劍，斬斷妄想接近她的毒蛇。

「黃金弓箭！」迦南的手鐲變化成弓，把魔劍當作箭瞄準海德拉。

「黑球防禦魔法！」海德拉心知不妙，他築起的魔法屏蔽在女王的力量面前被一擊即潰。

黃金魔劍貫穿了海德拉的肩膀，黑魔法派的領袖已成強弩之末，迦南只需要再射出一箭，這令人聞風喪膽的大魔頭便會徹底消失。

動手吧，我的女王……殺掉他，吹響兩界戰爭的號角吧。

米迦勒激動不已，一旦雙手染上鮮紅，迦南將會難以回頭，難以面對那些身為妖魔的朋友。

「不要！」**千鈞一髮**之際，一個熟悉的身影擋在海德拉前面，承受了迦南射出的光箭。

不死族妖魔依娃視海德拉為救命恩人，為了海德拉她甘願奉獻自己的性命。

「海德拉大人……請你快點逃離這裡……」依娃**口吐鮮血**，就算身受致命重傷她也把海德拉放在首位。

「別說傻話，我是不會留下你獨自離開的。」對海德拉而言，依娃也不只是幹部，是長伴身邊的重要人物。

「依娃……」被殺意**蒙蔽雙眼**的迦南突然回過神來，依娃不只是敵人，也曾是她的良師益友。

在東方魔幻世界的日子裡，是依娃多番從旁指引，幫助迦南渡過難關。

「依娃，我不是有心傷害你的……」迦南眼中的紫色光芒在減弱，依娃的鮮血喚醒了迦南的理智。

「看來幻術的影響還未足夠，還是不該讓迦南擁有自由意志。」米迦勒感到失望，他理想中的女王是不會違抗他的命令。

「我的身體……為何不聽使喚了？」迦南不知道自己的額頭上顯現出和

米迦勒相同的**十字架**印記，這是他日積月累刻印在迦南身上的幻之刻印。

「迦南啊，作為人類的女王是不能對妖魔**心慈手軟**的。」米迦勒的聲音直接傳遞到迦南的腦海，刻印的力量不容迦南拒絕。

「不……不可以。」迦南再次拉動魔法弓弦，她竭盡全力想要對抗米迦勒的操控，但魔力光箭還是向海德拉和依娃發出。

「鐵壁圍城魔法！」幸好東西合璧的新型防禦魔法防禦力夠強，成功擋下了迦南的致命攻擊。

「爸爸、媽媽……」迦南很害怕，害怕自己不受控制。

「迦南，我們來拯救你了。」來者正是迦南的父母——史提芬和玥華。

「我本來想讓迦南保留意識，和我一起成為新世界的王與后，但看來她還是和妖魔走得太近了……」這些和迦南關係密切的人出現在此並不在米迦勒的

計劃內，為免迦南脫離他的操控，他決定把幻之刻印的力量放到最大。

「找到你了，陰險的卑鄙小人。」猛烈的火焰從上空襲向米迦勒。

魔導靈三頭火龍和丹妮絲**從天而降**，連發火球不停射向米迦勒。

「丹妮絲……你這個背棄公會的前獵人，原來是你在背後搞鬼嗎？」可惜丹妮絲所擊中的全都是幻象，米迦勒依然**毫髮無損**。

「在暗地裡行事可不是你的專利啊，幻之守望者……不，應該是天啟財團的主人才對。」丹妮絲終於找到了最大的敵人。

「現在知道已經太遲了……守望者聽令，立刻去把接近女王的人全部剷除！」米迦勒說。

「還未遲的。」但丹妮絲也不是孤軍作戰。

「黑炎龍捲魔法！」阿諾特阻止加百列繼續前進。

「鐵碎狼爪！」皇家騎士團的團長卡隆攔住了雷米爾的去路。

她帶來了和平的希望，由人類和妖魔組成的強大同盟。

第三章 最後的考驗

魔法萬事屋內，為了讓安德魯學會深淵魔法，舒雅把他帶到魔法道具水晶球內。在這裡，時間流逝的速度比外面慢許多。在最後試煉開始前，安格斯把心魔也帶到意識世界，最後的考驗馬上開始。

「如果無法克服心魔，就算讓你出去也只會被操控，淪為那卑鄙小人的傀儡……既然是這樣的話，倒不如由我消滅你們，用這副身體去拯救迦莉的轉生吧。」安格斯爆發出驚人的魔力，就連天空也被他的魔力染成血紅色。

「安格斯，這到底是什麼意思？你不是來傳授我深淵魔法的嗎？」安德魯感受到濃烈的殺意，安格斯是認真想將他**置之死地**。

「所以你才把我拉到這意識世界嗎？只要

我們消失了，這身體的主權便會被奪去。」心魔嚴陣以待，安格斯的魔法已準備就緒。

「你已學會全部深淵魔法了，只要我得到你的身體，就能發揮比我**全盛時期**更強的魔力，這次一定能將米迦勒徹底消滅。」深紅雷電迅速落下，安格斯同時向安德魯和心魔發動攻擊。

「為什麼你會知道米迦勒的？」安德魯迅速躲避。

「因為米迦勒早已存在，但這些都不關你們事了，因為這裡就是你們的**葬身之地**。」魔界之王的力量霸道無比，落雷攻擊持續不間斷。

「不要再分心了，那傢伙是認真想取代我們的，雷霆爆裂魔法！」心魔不甘示弱，全力向安格斯還擊。

「狂暴的這邊雖然力量驚人，但攻擊過於單調。」安格斯及時防禦了心魔的攻擊。

「迅雷霧化！」安德魯化作雷霧從後突襲。

「理智的這邊雖有智謀，但卻心慈手軟不懂把握時機。」但安德魯還是慢了一步，被安格斯輕鬆迴避。

「所以……你們還是一同消失在這裡吧，深淵吞噬魔法。」安格斯高舉魔法杖，準備施展深淵魔法中的奧義。

深淵吞噬魔法，其實是黑洞魔法的原型，**安德魯之父安古蘭，就是從文獻中研究摸索，以此為藍本創造了黑洞魔法。**

「我……不能在這裡消失，黑洞魔法！」這一次安德魯不再猶豫，把所有魔力用在這魔法之上。

兩個大型黑球正面相撞，黑洞魔法嘗試將深淵吞噬魔法吸收，但深淵吞噬魔法像個黑色的太陽，把觸碰到的一切也消滅吞噬。

你是保護不了女王的，
把身體交給我吧。

安格斯進一步把魔力擴大，黑洞魔法被吞噬只是時間問題。

迦南是我的女王，
我的女王要由我親
手保護！

安德魯竭盡所能，若然在這裡敗陣便會**前功盡廢**。

「不是你的，迦南……是我們的女王！」心魔握住安德魯的手，把他的魔力注入同一支魔法杖。

唯有和心魔融合為一體，
才能徹底擺脫嗜血的魔咒，
發揮出深淵魔法最大的力量。

我們是一體的，無論是懦弱的我、還是狂暴的我……都愛著同一個人……為了保護她，我們都在所不惜！

在成長的路上，我們偶然會感到軟弱無力，偶然會對一切充滿憎恨厭惡，但這些都是可以接受的。

你做到了。

安格斯露出微笑，安德魯找到答案了。

並不是要戰勝自己的心魔，而是要接納自己的心魔，和黑暗共存。這樣才不會被迷惑，才能戰勝幻之守望者的秘術。

「魔力……源源不絕。」由始至終，安格斯也沒有打算取代安德魯。

「過去你一直對自己的力量有所畏懼，害怕一旦失控會造

成不可挽救的後果，現在你不用再畏首畏尾了。」安格斯說。

「最後，我要把我所知道的事告訴你。」包括安格斯如何認識米迦勒。

早在迦莉和安格斯共同努力為兩界帶來和平的時代，米迦勒經已存在，他是唯一一個保留著千百年記憶的人。

第四章 傳承

市中心內，齊天大聖孫悟空正和鋼鐵之守望者大打出手，拉斐爾雖然強橫霸道，但他的對手是東方魔幻世界中數一數二的妖魔。

「如意金剛棒，變大！」孫悟空在金剛棒上注入魔力，巨大的金剛棒狠狠擊打在拉斐爾的鐵面罩上。

「有意思……你比我遇過的妖魔都更強大。」拉斐爾的鐵面罩破碎了，**頭破血流**的他仍在笑著。

不只迦南，四名守望者的額頭上也顯現出幻之刻印。

「守望者全都是瘋子嗎？你感覺不到痛楚嗎？」孫悟空感到**匪夷所思**。

「可惜我要快點去女王身邊，我們速戰速

決吧！」倍化魔法令拉斐爾變得有如巨人般高大，**狂性大發**的他每一步也足以令地動山搖。

「你以為只有你會變大嗎？」孫悟空變成金毛巨猿，巨人和巨猿展開正面對決。

同樣負責阻止守望者走到迦南身邊的，還有正在和烏列爾對峙的女帝鳳禧。

「火焰在我面前是沒有用的。」鳳凰族擁有最卓越的馭火能力，鳳禧面對烏列爾佔盡優勢。

「**你明明和我一樣內心充滿怒火，想要以火焰燒毀一切，是什麼原因令你選擇和平？**」烏列爾雖然雙目失明，但他能感受到對方的靈魂。

鳳禧在不久之前還打算一統東方魔幻世界，為達成目的甚至不惜借助殭屍的力量。

「因為我遇到一個很優秀的男人，他把我從怒火中拯救出來。」鳳禧指的是成功從殭屍秘法中喚醒她的安德魯。

「我相信這次也一樣，他一定會在關鍵時刻出現的。」鳳禧全力牽制住烏列爾。

孫悟空、鳳禧、阿諾特和卡隆現在正各自對付一名守望者，只要能在這段時間解除米迦勒對迦南的操控，丹妮絲的計劃就能成功。

安德魯的意識空間內，場景由破落的古城搖身一變成魔界樹之下。

「為什麼要帶我來這裡？」安德魯問。

「這裡是迦莉的葬身之地，也是她的葬禮舉辦的地方。」迦南在迦莉身上看到的最後一幕，是迦莉在這裡氣絕身亡。

「當日我吸食了迦莉的血後，狂暴的力量強大得足以讓我輕易手刃仇人，在我殺掉九

頭蛇為迦莉舉行葬禮後，我以為一切已經結束……」安格斯看著宏偉的魔界樹，這是他心愛之人的**生命結晶**。

「九頭蛇策動叛變，聯合反對和平協議的妖魔謀反，這是我當時深信不疑的事。」安格斯帶安德魯來的時空，正是葬禮舉行的那天。

那時代的重要人物，無論是妖魔還是人類全都身穿黑色衣物，在這個淒冷的下雨天悼念迦莉。

「**那人的樣貌……還有額頭上的印記，怎麼會和米迦勒這麼相似的？**」安德魯留意到在黑袍之下那張似曾熟悉的臉，還有他額頭上的印記。

雖然安德魯只在被審問時見過米迦勒一面，但他的氣場和深不可測的魔力，一直令他十分在意。

「他是發掘迦莉，把她扶持成為女王的魔法師，早在迦莉成為人類的領袖前，他已組織起對抗妖魔的勢力。」安格斯指著米迦勒說。

待大部分參加葬禮的人離開後，米迦勒終於**露出本性**。

「米迦勒大人，現在女王和九頭蛇也被剷除了，只餘下帝王安格斯仍然下落不明。」妖魔的謀反，是米迦勒在背後推動的。

「繼續派人追殺他吧，無論要花多少時間、多少兵力。」渴望和平的女王慘遭妖魔背叛和殺害，這是米迦勒編寫的劇本。

「魔幻世界不應該留給妖魔，這是人類的產物，終有一天我要把它從妖魔手上搶奪回來。」**然後米迦勒從接掌人界開始，一步一步實現理想。**

「不……不可能，人類的壽命只有一百年左右，怎可能由這個時代存活至今？」安德魯感到難以置信。

「人類的肉體經不起**歲月摧殘**，但意識是可以流傳下去的。」安格斯說罷，他身處的環境便轉變成一座宏偉的教堂，教堂中央豎立著女王迦莉的雕像。

「意識流傳？是像東方法術中的殭屍秘法嗎？」安德魯回想起被鳳明君靈魂佔據的鳳嬉。

「不，米迦勒想到的是更安全、更實際的方法。」***殭屍秘法受符咒所限並不完美，安格斯在人界見識到另一種方法。***

這座以女王為信仰的教堂，是獵人公會的開端。

教堂的地下室內，**年紀老邁**的米迦勒走向一個被捆綁在十字架上的白髮小男孩面前。

「孩子，你將會繼承我的財富、我的地位、我的思想和我的宏願。」米迦勒把手放在小男孩的額頭上，把他獨特的紫色魔力傳移過去。

幻之刻印逐漸在小男孩的額頭上顯現，小男孩瞳孔的顏色也變得和米迦勒一模一樣。

「從今以後，你就是米迦勒了。」這是幻之刻印的另一種用途，米迦勒藉此把自己的意識和理念傳承下去。

年輕的身體有著更大的魔力成長空間，下一個米迦勒會變得比上一個更強，然後在成長後接掌獵人公會，繼續把人界引導向他理想的方向。

第五章 帝王回歸

場景回到破落的古城，數以百計的獵人包圍了安格斯，每個獵人額頭上也有著幻之刻印。

「我花了很漫長的時間研究和對抗我身上的血癮，並把一切記錄在深淵魔法書上，只可惜在我成功之前，已經在這古城被米迦勒找到了。」安格斯**黯然神傷**，這裡就是他的終點。

最終曾叱咤風雲的魔界之王，在獵人不分晝夜圍攻之下筋疲力竭，葬身在米迦勒的幻之光劍下。

「安格斯啊……能迫使我動用整個公會的戰力才能把你殺死，你應該感到十分自豪。」安格斯是米迦勒的眼中釘，是安格斯改變了他親手創造的女王。

「我死了……但我的後人、我的轉生一定會**捲土重來**。」安格斯氣絕於此，但他的後人沒有令他失望。

後來，安古蘭找到這份吸血鬼的秘寶，他和大賢者尤莉亞預知到未來的某一天，女王和帝王的轉生一定會出現，到時候寶盒將會被打開，給予命定之人扭轉敗局的力量。

「安德魯，我已把我的所有傳授給你了。」安格斯的身體變得透明，意味著這最後的一課是時候要結束了。

「放心交給我吧，我不會讓悲劇重演的。」安德魯充滿信心，他

已擺脫長久以來的束縛。

「最後，我想問你一個問題。」安格斯微笑著逐漸消失。

「請講。」安德魯說。

「這輩子的女王也很漂亮嗎？」**在安格斯漫長而且孤獨的歲月裡，沒有忘記過迦莉。**

「十分漂亮。」安德魯完成了最終修行，現在他的腦海裏只有迦南。

「幻之魔法，森羅萬象。」米迦勒終於拿出魔法杖，創造出無數分身包圍丹妮絲。

「分身法術嗎？既然如此……我就把全部分身一次過銷毀！」丹妮絲的魔導靈，三頭火龍噴出猛火**橫掃千軍**。

「丹妮絲。」被猛火燒到的其中一個分身，露出丹妮絲十分熟悉的面容。

「右京……」丹妮絲很清楚這不是真實的。

「你要再次看著我喪生也**無動於衷**嗎？」但看到右京的臉，丹妮絲難以不動容。

「你就在幻覺中好好待一會吧。」就連安格斯當日也被米迦勒的幻術迷惑。

以幻術摧毀對手的心理，再找機會以幻之光劍作出致命攻擊，這是米迦勒最擅長的作戰手法，只要心態不夠堅定，隨時陷入萬劫不復的深淵。

「不……我不會讓你接近迦南的。」丹妮絲命令三頭火龍向自己吐出火焰，以痛楚來喚醒自己。

「竟能戰勝自己的恐懼，實在令人刮目相看，但人界之內已沒有能阻止我的人了。」米迦勒以幻之光劍把丹妮絲釘在地上。

「不，還有一個人……曾在你身邊搶走迦莉的魔界之王。」丹妮絲沒有放棄希望。

「你一直在拖延時間，原來是在等待安格斯的轉世、那叫安德魯的吸血鬼覺醒嗎？」米迦勒面色一沉。

無論是人類或妖魔，一定有最害怕的東西，就算是守望者也不例外，而你最害怕的就是安格斯。

當日米迦勒為了討伐安格斯動用了公會所有戰力，因為他對魔界之王既痛恨又恐懼。

你太天真了，難道你以為我沒有派人對付那吸血鬼嗎？

玻璃球內，舒雅和摩卡正默默等待安德魯醒來，不用在第三階段和心魔作戰實在令他們**喜出望外**，因為經過第二階段的苦戰，舒雅也沒有信心能支持到修行結束。

「舒雅，你受傷了。」黑貓摩卡走到舒雅身邊為她舔舔腳上的傷口。

「謝謝你，你也辛苦了。」舒雅輕撫摩卡的頭顱。

「你覺得小子能夠順利**學成歸來**嗎？」摩卡問。

「一定可以的……我相信他父親在天之靈一定會保佑他。」舒雅覺得冥冥中自有主宰。

愛莉、米露和美杜莎突然**氣急敗壞**的穿過木屋回到沙灘。

「發生什麼事了？」舒雅的魔法萬事屋由多重結界保護，理應是十分安全的地方。

「外面來了一大班獵人，他們正在猛烈攻擊，整間魔法萬事屋也在劇烈震動啊！」人魚愛莉慌張的說。

但人界之內會設立多重結界的地方本來就不多，舒雅的舉動反而令獵人的搜尋變得更容易。

「相信是米迦勒指使的吧，偏偏在這麼關鍵的時刻找上我們……」舒雅猜到米迦勒的目標一定是安德魯，因為他在會場阻止爆炸時曝光了屬於魔界之王的魔法杖。

舒雅等人一直留在玻璃球內，所以他們沒有察覺保護魔法萬事屋的結界持續受到攻擊。

「不能被人發現小子現在的狀態，獵人一定會二話不說向他狠下殺手。」摩卡也知道米迦勒有多麼**心狠手辣**。

你們留在這裡吧，我和摩卡出去為安德魯爭取多一點時間。
不，我們不能把所有危險也推給前輩的！

對啊，我們是安德魯的朋友，也是魔幻學園的學生，不會這麼輕易被擊倒的！

在場的每一個人也願意為安德魯挺身而出。

各位，請放心
交給我吧。

幸好安德魯沒有令他們失望，他完成了魔界之王的所有考驗，帶著最強大的魔法歸來。

「你真的是安德魯嗎？怎麼好像有點不一樣了？」愛莉感覺安德魯有所改變。

「小子，你的氣息相當不錯呢。」摩卡滿意地笑著說。

安德魯的樣子沒有改變，但他散發出不一樣的氣場，因為他有了能**戰無不勝**的自信。

第六章
終結者（上）

大批手持魔力大炮的新編制獵人團團圍住魔法萬事屋，他們持續向萬事屋開火，保護萬事屋的結界終於被打破。

「屋內不會有其他人類吧？」其中一個新編制獵人問。

「米迦勒大人說過，魔法萬事屋是和黑魔法派結黨的**邪惡分子**，無論是人類還是妖

魔也不能放過。」他們全都是受米迦勒挑選、被幻之刻印操控了思想也不自知的無知人類。

在會場發動恐怖襲擊的人也一樣，只不過是米迦勒精心安排，用來嫁禍妖魔的好戲。

「有人出來了！」魔法萬事屋的大門突然打開了，獵人立即集中火力向大門掃射。

「情況和安格斯遇到的真相似……只不過這次米迦勒沒有親身上陣。」安德魯不在門口，他早以霧化的能力不動聲色來到獵人們身後。

安格斯在破落的古城被圍攻至死，但安德魯不會落得相同下場。

「深淵魔法，腥紅血雨。」安德魯輕描淡寫的在獵人頭頂上召喚出黑雲，具有侵蝕性的紅色雨水落下，令他們叫苦連天。

「黑洞魔法。」然後安德魯高舉魔法杖，精準控制黑洞魔法把魔力大炮吸入黑洞。

「立即離開，否則只有死路一條。」安德魯目露凶光發出最後警告，嚇得獵人們雞飛狗走。

推動魔力大炮的魔力石，是舒雅為了造福社會而發明的，但現在這發明反被用在戰爭和屠殺之上。

「呼……看來已不用我們出手了。」舒雅鬆了一口氣。

深淵魔法也和魔力石一樣，落在嗜血的狂徒手上一樣會導致生靈塗炭。

「小子，你剛才不是真的想大開殺戒吧？」摩卡感覺那一刻安德魯的表情酷似那殘酷的心魔。

但現在安德魯能夠做到收放自如，展現出大將的風采。

當然不會，我只是說笑罷了。

安德魯回復和藹的笑容，他已接納了自己的陰暗面。

從實力來看，安德魯已遠超一個實習生的程度，還幫我保護了萬事屋免除一筆維修的開支，我是不是應該考慮幫你加薪呢？

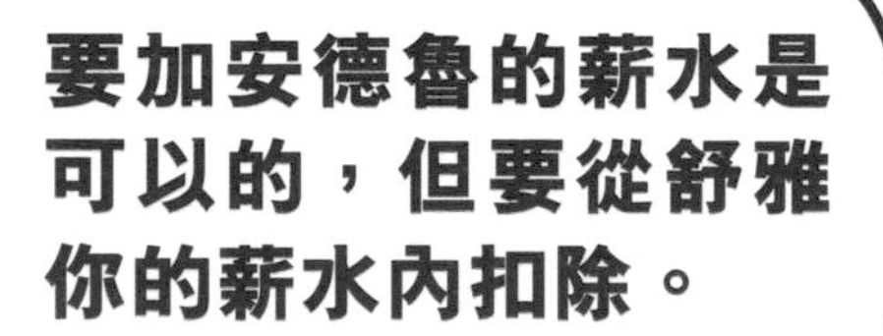

要加安德魯的薪水是可以的，但要從舒雅你的薪水內扣除。

「兩位……我已從你們身上得到太多了。」安德魯感激不已，但他現在有更重要的事情要做。

「待我解決正在發生的亂局後，我一定會好好報答你們的。」安德魯**展翅高飛**，他要去迦南所在的地方，把上一輩子未了的恩怨了斷。

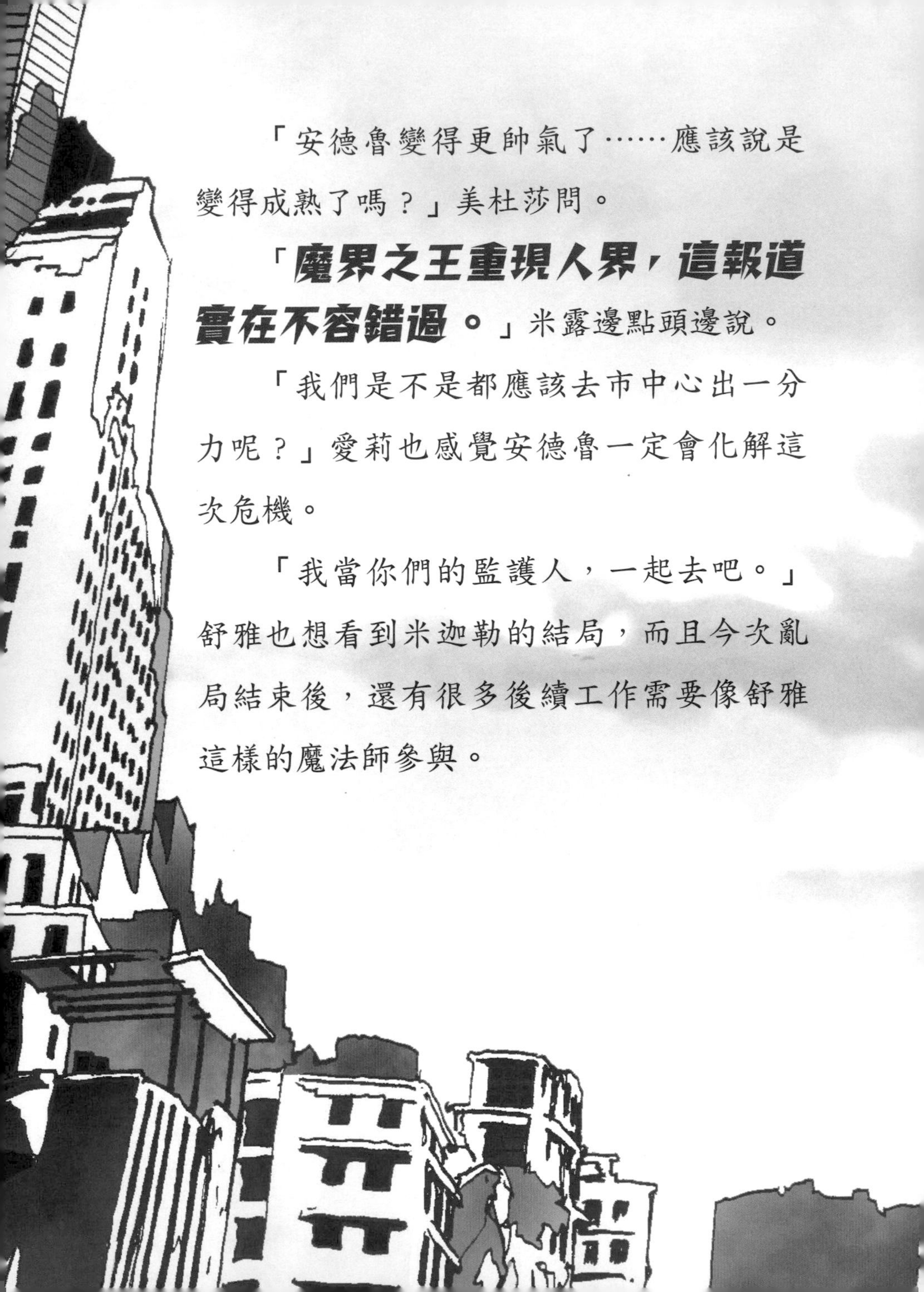

「安德魯變得更帥氣了……應該說是變得成熟了嗎？」美杜莎問。

「**魔界之王重現人界，這報道實在不容錯過。**」米露邊點頭邊說。

「我們是不是都應該去市中心出一分力呢？」愛莉也感覺安德魯一定會化解這次危機。

「我當你們的監護人，一起去吧。」舒雅也想看到米迦勒的結局，而且今次亂局結束後，還有很多後續工作需要像舒雅這樣的魔法師參與。

市中心的上空，史提芬和玥華想要從獵人公會手上救走迦南，但迦南受到幻之刻印的影響，就算是親生父母也作出攻擊。

「迦南，你能聽得到我的聲音嗎？」史提芬和玥華合力築起的城牆正**逐漸瓦解**。

幻之刻印在迦南額頭上完全顯現，現在她已聽不到外界的聲音，只是聽從米迦勒命令的傀儡。

「符咒法術，吹雪召來！」騎在人狼卡爾上的四葉喚起暴風雪。

「魔導靈，傲雪冰馬！」艾爾

文也施展出渾身解數，騎著魔導靈接近迦南。

大家的呼喊聲傳達不到迦南的耳中，她的流星魔法攻擊把一個又一個重要的朋友擊落。

「海德拉和依娃的狀態很差，沒有更好的治療他們會支持不下去的。」法蘭盡力為兩名傷者進行急救，史提芬和玥華只能勉強防住迦南一次攻擊。

在場沒有人擁有能和迦南匹敵的力量，也沒有能阻止幻之守望者的強大戰力。

「要結束了，這場仗的勝利者是我。」就在米迦勒覺得**大局已定**之際，天色突然改變了，變得無比陰沉，而且烏雲密布。

「不……不可能。」米迦勒知道這是不祥之兆。

大量蝙蝠飛到市中心，米迦勒最不希望發生的事情發生了。

第七章 終結者（下）

突然在市中心內飛過的蝙蝠，所到之處都是守望著和丹妮絲的同盟激戰的地方。

「像你這麼厲害的人，也甘願受米迦勒操控思想，被人利用嗎？」阿諾特的黑焰劍被加百列的光劍壓制住。

「米迦勒對獵人進行思想操控是**千真萬確**的事，但我們所經歷的……因妖魔而導致的傷痛也是真的。」加百列早就發現了米迦勒設局陷害妖魔發動恐怖襲擊，也知道很多獵人受到思想操控。

「所以只要能向妖魔報復，我是不是被米迦勒利用了，又有什麼所謂？」魔力進一步上升，加百列的光劍快要切斷黑焰劍。

突然出現的大量蝙蝠包圍住加百列，阻擋

了他的視線。

「是誰在礙手礙腳？」加百列急忙退後，揮舞光劍把蝙蝠驅走。

「但如果你們的傷痛經歷也是被編造出來，刻印在腦海中呢？」

蝙蝠消失了，取而代之的是蝙蝠的主人——安德魯。

「**深淵吞噬魔法**！」安德魯把手放到加百列的額頭上，吸走源自米迦勒的幻之刻印。

「你這臭小子，每一次也是**姍姍來遲**，難道你連一點時間觀念也沒有嗎？」阿諾特鬆一口氣，他能感受到安德魯的魔力遠超於昔日。

「別人來幫助你，你應該向他表示感謝，而不是抱怨。」安德魯微笑著說。

加百列沉沉睡去，幻之刻印在加百列額頭上消失了。

但你剛才說的話是什麼意思？
我沒有時間和你慢慢解釋，我的分身應該已把其餘三個守望者身上的幻之刻印消除，現在是時候把一切的根源解決了。

米迦勒能把自己的思想和記憶刻印到另一個身體，當然也可以**捏造悲慘的經歷去令人仇恨妖魔**。現在雷米爾、烏列爾和拉斐爾，他們都在安德魯的魔法下得到解放，但一日不把米迦勒剷除，也難保刻印徹底消失。

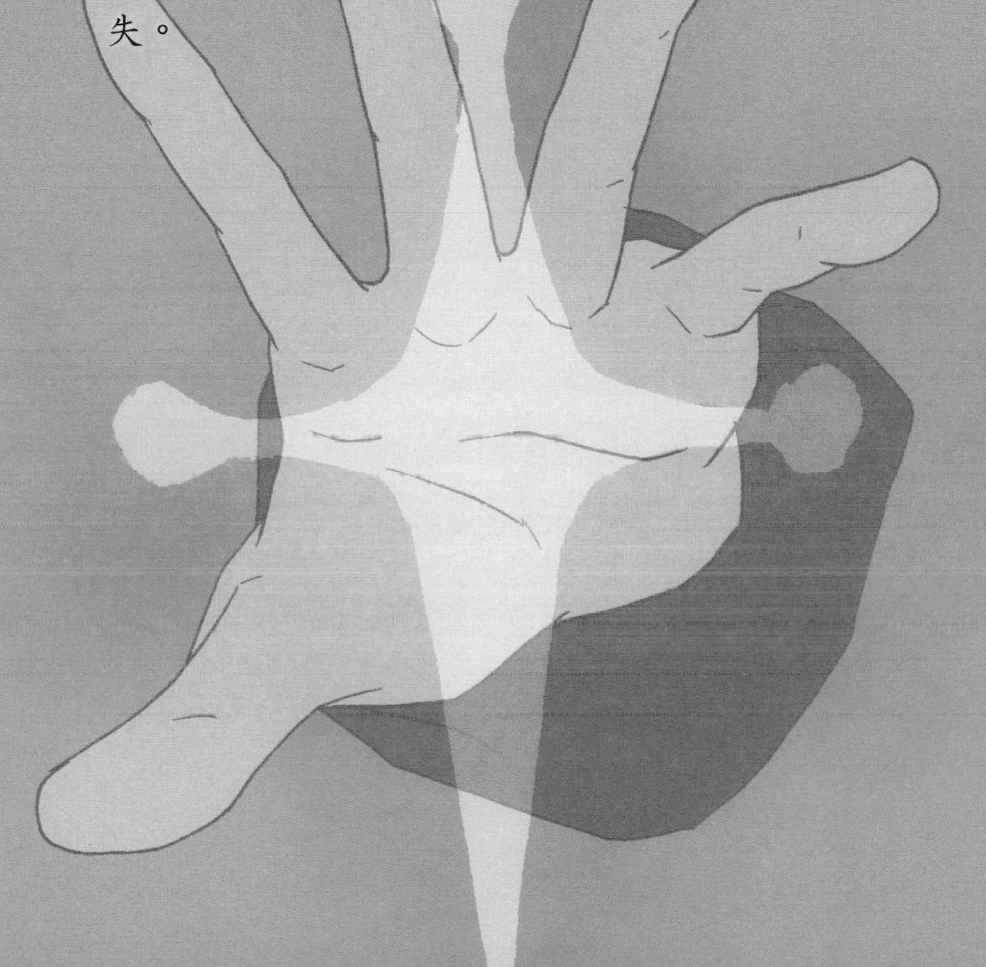

高空之上，完全覺醒的帝王大戰被操控的女王，失去意識的迦南不會對任何人心慈手軟，就算對手是她心心念念的安德魯也一樣。

「黑洞魔法。」安德魯施展魔法，把迦南的魔力光箭吸收到黑洞內。

「迦南，放心吧。有我在你不用再害怕會傷害到任何人了。」安德魯知道迦南能聽見他的聲音。

過去迦南在安德魯失去理智時不離不棄，現在是時候由他來拯救迦南。

迦南不斷使出強力的魔法攻擊，但全都被黑洞吸收掉，安德魯的目的是為了讓迦南把魔力盡量消耗，繼而令幻之刻印的影響下降。

「安……安德魯？」慢慢地，迦南的眼神回復了本來的模樣，紫色光芒逐漸減退。

安德魯慢慢靠近迦南。

「不，該道歉的人是我，是我**一意孤行**，才導致今日的局面。」迦南停止了攻擊，她已能清晰看見安德魯的臉。

已經結束了，不會再有人受傷，你好好睡一會吧。

安德魯溫柔地把手放在迦南的額頭上，以深淵吞噬魔法消除害人不淺的幻之刻印。

「我們是時候來做個了斷了，米迦勒。」安德魯緊盯著米迦勒，他要完成安格斯的遺願。

很久以前，米迦勒已知道幻之魔法的剋星就是深淵魔法，所以當他創立了獵人公會後便開始追殺安格斯。那時候安格斯未能戰勝自己的心魔，最終在重重包圍和難分真假的幻覺下露出破綻，被米迦勒殺害。

「幻之魔法，森羅萬象！」米迦勒想**重施故技**，讓安德魯陷入幻覺中。

但現在的安德魯無論是魔力還是內心也比安格斯更強大，更堅強。

「你最擅長利用他人的恐懼製造幻覺，在擊破他人的心理後伺機偷襲，但這些方法對我都不管用了。」安德魯緩緩降落，漆黑的魔力蔓延開去，米迦勒的分身幻影一碰到他的魔力便會被吞噬。

米迦勒慌張起來了，他已經很久沒有從心底感到害怕。

「不會再有人聽你的使喚了，米迦勒。」那些刻在獵人額頭上的刻印已被安德魯派出的蝙蝠消除，他們看到米迦勒大勢已去，自然不敢輕舉妄動。

「加百列！雷米爾！你們到底在幹什麼？還不快點過來支援！」米迦勒不斷退後，他現在只想遠離安德魯。

「深淵泥沼魔法。」安德魯在米迦勒的腳下召喚出黑色的泥沼，令他深陷泥沼中，只能看著安德魯一步一步走近。

「我不會殺死你的，我知道對你而言……什麼才是真正的地獄。」安德魯把手放在米迦勒的額頭上。

「放……放手！」**米迦勒能感受到自己的魔力正從幻之刻印中消失。**

「沒有了……我千百年來累積的魔力……」米迦勒的這副身體，已和普通人沒有分別。

深淵魔法就像一個**無底深潭**，能無止境地吸收和吞噬魔力，如果魔力被吞噬殆盡，米迦勒就會變回一個普通人，無法再在其他人的身體刻上幻之刻印，把意識轉移到下一個身體。

「終於結束了，你已經一無所有了。」安德魯鬆開了手，米迦勒額頭上的刻印已不復再。

米迦勒長年累月累積的魔力，建立的地位，一切也將會伴隨這個幻之刻印永遠消失。

第八章

人魔新時代

人界事變終於落幕，但後續需要處理的事情還有很多，妖魔在人界曝光的事成為了一大問題，獵人們也需要新的領導人才帶領他們革新。

由丹妮絲擔任人類代表，阿諾特擔任妖魔代表，兩個種族共同營運的全新組織，「和平之盟」應運而生，為這次的人界事變進行修復工作。

「這樣就不會有問題了吧？」孫悟空抬頭望向夜空，一支火箭在天空中飛過，散播閃閃發光的**星塵**。

「嗯，大眾醒來後，不會想起妖魔出現過，只會記得市中心發生了一場大地震。」丹妮絲為了讓人界回復正常運作，委託舒雅改造了藏在地下城市的火箭。

「其實我也曾經想過，如何讓更多人獲得魔法力量。但突然間讓大批普通人使用魔法，人類文明會被徹底改變的。」舒雅終於不用擔心魔力石會繼續成為危害人間的發明。而她也決定一邊經營魔法萬事屋，一邊擔任「和平之翼」的技術支援人員。

「守護這個平衡，是我們其中一個重要的任務。」丹妮絲說。

「傳送門已回復正常，我們也是時候離開了。」唐三藏和孫悟空將會回去東方魔幻世界。

「你們真的不打算留在人界，加入『和平之翼』嗎？」丹妮絲盛意拳拳邀請兩人。

不，我們還有事情忙著準備……
準備什麼？
準備我和悟空的婚禮。

吓？婚禮？

自古以來，人類和妖魔結成婚約的例子只有兩宗。第一宗是魔界之王安格斯和人界女王迦莉；第二宗是海洋之都的人魚女王愛瑪和獵人基德，他們更誕下了第一個混血後代愛莉。

這次人界事變證明了人類和妖魔，是可以同一陣線，為和平一起付出的。迦莉所期待的日子終有一天會降臨，**更多的跨種族情侶會結成連理、更多的混血後代將會順利誕生。**

人界事變結束已經三天了，在這場戰爭中受傷最嚴重的海德拉也甦醒過來。

「依……依娃呢？」躺在病床的海德拉，睜開眼睛後第一個想到的，是為了他不惜犧牲自己的依娃。

「海德拉大人，我在這裡。」依娃康復後便一直陪在海德拉身邊。

「若不是結合了人類魔法師的醫術，你和依娃恐怕已**撒手人寰**了。」阿諾特說。

「為什麼要救活我？上一輩子我殺害了人類的女王迦莉，這一輩子我也恨不得把迦南置之死地下手，他們不是應該對我**恨之入骨**嗎？」海德拉殺害了很多人類，這是不可否認的事實。

阿諾特搖搖頭，並把從安德魯口中得知的來龍去脈告訴了海德拉。包括上一代九頭蛇被利用來殺害迦莉的事，還有不斷進行意識傳承的米迦勒，如何把人類和妖魔玩弄在股掌之中。

「不要再讓仇恨延續到下一代了，我們試著打開人類和妖魔的新一頁吧。」阿諾特拉開病房的窗簾。

依娃扶著海德拉慢慢走到窗前，映入海德拉眼簾的，是一個他**前所未見**的景象。人類和妖魔正在協力建造房屋、修整道路，建造魔法新城市。

「這裡……是什麼地方？」海德拉充滿疑惑，眼前的地方不似是魔幻世界。

「這裡是人界的一座無人島，而不久之後，這裡將會成為首個人類和妖魔平等生活在內的新城市。」阿諾特說。

「獵人公會已不存在，人界的秩序不會再單由人類決定，妖魔也會參與其中，以確保我們的權益，這樣的結果你也樂於接受吧？」就像民主社會的**議會制度**，不同的黨派會為不同的社群發聲。

「這樣的事真的能實現嗎？」海德拉問。

「你也有責任去實現它，丹妮絲為你留了一個席位，這是讓你為過去犯的錯**贖罪**的機會，你好好考慮一下吧。」阿諾特說罷便離開病房。

「我始終不贊成海德拉加入。」艾翠絲一直在病房外等待阿諾特。

「這可不是我一個人的決定，你的師父、卡隆、還有三位魔法老師也一致認同的啊。」阿諾特的心情很好，他又能再和艾翠絲一起工作了。

「我知道，但海德拉實在太危險呀！」艾翠絲沒有說出口，她其實也很滿意這份工作。

「再危險也不用擔心，縱觀魔幻世界和人界，相信已沒有人敵得過安德魯了。」阿諾特說。

從今以後，**阿諾特要捍衛的不只是追隨自己的妖魔，而是在這裡生活的所有市民。**

第九章

米迦勒的後著

傳送門回復正常後，很多妖魔決定返回魔幻世界。四葉、卡爾和愛莉也是時候回去繼續實習，否則他們無法如期畢業。連接魔法新城市和魔幻世界的傳送門前，眾人聚集在一起互相道別。

「嗚……艾爾文，我們又要分開了……」人魚愛莉依依不捨的說。

「不用難過呀，我已不再是獵人，不會再因為身份尷尬而沒法去海洋之都了。」艾爾文現在是「和平之翼」的一員。

「我們下次見面，應該會是唐老師的婚禮舉辦的時候了。」四葉將回去繼續學習魔法料理。

「我最喜歡參加婚禮，婚禮上有很多好吃的東西。」卡爾已開始期待了。

「拜託……你不要只想著吃好嗎？」四葉無好氣的說。

大家都對未來充滿憧憬，堅信不會再有壞事發生在他們身上，除了安德魯還是愁眉苦臉。

「安德魯，你不用擔心呀，這麼多**醫術高明**的前輩也說迦南的身體已完全康復，相信她很快便會醒來的。」愛莉安慰著說。

「嗯，待迦南醒來後，我會寄魔法信通知大家的。」安德魯強顏歡笑。

病房內，安德魯牽著迦南的手，距離人界事變已經過去七天了，迦南還是**昏迷不醒**，沒有人能告訴安德魯箇中原因。

「迦南，為什麼你不醒來呢？」安德魯幾乎所有時間也守候在迦南身邊。

「安德魯，你去休息一下吧。」玥華看到安德魯面容憔悴也感到心痛。

「不，我……」安德魯**寢食難安**。

「迦南醒來的話，我會馬上告訴你的。」史提芬輕拍安德魯的肩膀以示安慰。

史提芬和玥華是迦南的父母，安德魯不好意思拒絕他們的好意，只好乖乖步出病房。

「老公，你知道安德魯和迦南一直以來互相喜歡著對方嗎？」玥華的發問嚇了史提芬一跳。

知道……為什麼突然問起這個問題？
如果迦南醒來後決定要和安德魯結婚，你意下如何？

在安德魯被捲入黑洞魔法失蹤的時候，史提芬已知道女兒的心思。

「哈！你一定忘記了，當日你向我求婚的時候，我也還是四年級學生呀！而且我們交往沒有多久，你便向我求婚了。」玥華愈說愈激動。

「**媽……媽媽。**」少女的叫聲十分微弱。

「但我們也是待畢業後才結婚呀。慢著……你剛才聽到有其他人在說話嗎？」史提芬問。

「爸……爸爸。」是迦南，從漫長的夢中醒過來了。

「我去通知醫生……還有安德魯！」史提芬驚喜不已。

米迦勒失去了魔力後被監禁在獨立囚室內，他將會在此默默無聞，孤獨地渡過餘生。

「你是來落井下石的嗎？」米迦勒仇視著安德魯。

「我有一件事不明白。」安德魯是米迦勒唯一的訪客。

「你有過很多機會，可以用幻之刻印把意識轉移到迦南的身體，但你沒有這樣做，為什麼？」安德魯問。

沒有人類擁有比迦南更強的魔力，既然能夠轉移，奪去女王的身體理應是最好的選擇。

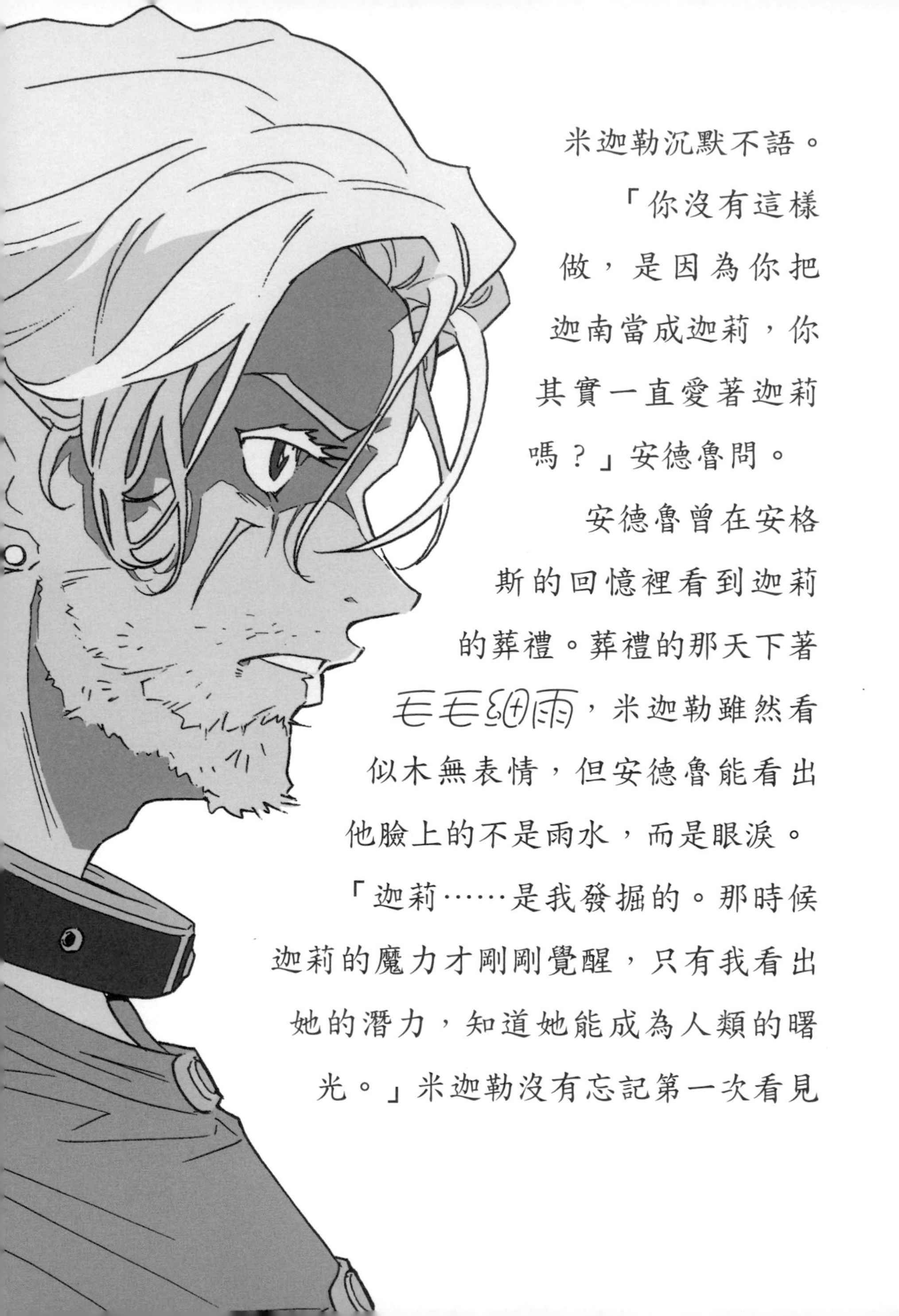

米迦勒沉默不語。

「你沒有這樣做，是因為你把迦南當成迦莉，你其實一直愛著迦莉嗎？」安德魯問。

安德魯曾在安格斯的回憶裡看到迦莉的葬禮。葬禮的那天下著毛毛細雨，米迦勒雖然看似木無表情，但安德魯能看出他臉上的不是雨水，而是眼淚。

「迦莉……是我發掘的。那時候迦莉的魔力才剛剛覺醒，只有我看出她的潛力，知道她能成為人類的曙光。」米迦勒沒有忘記第一次看見迦莉，那金黃色的魔力是多麼耀眼和溫暖。

人類和妖魔的戰爭初期，人類長期處於下風，米迦勒看著戰友一個個**戰死沙場**，無比絕望的他想過放棄，是迦莉令他重燃希望。

「我費盡心力扶持她成為人類的領袖，默默在她背後為她打點一切，但她卻愛上了敵對的妖魔安格斯……我以為她只是一時糊塗，忘記了自己的身份，但她不單止愈愛愈深，還和他結成夫婦。」米迦勒內心對安格斯充滿嫉妒。

「和迦莉步入教堂的人應該是我才對……**我得不到的東西，其他人也不能得到。**」所以米迦勒利用九頭蛇的手殺死迦莉，並把他賦予迦莉的權力奪回手中。

迦莉渴望和平，米迦勒便摧毀掉和平；迦莉為妖魔創造魔幻世界，米迦勒便帶獵人搶奪魔幻世界。

「本來我對奪走你所有魔力一事，是有一絲絲內疚的……幸好你和摩卡前輩說的一樣，是個**無藥可救**、壞得最徹底的人。」令一個會魔法的人永遠失去魔力，是無比殘忍的懲罰。

「你對迦莉的並不是愛情，你只是個**佔有慾**太強的可悲之人。」安德魯轉身準備離開，他對這麼邪惡的米迦勒感到噁心。

「我得不到的東西，其他人也不能得到……所以這次，我做了另一個

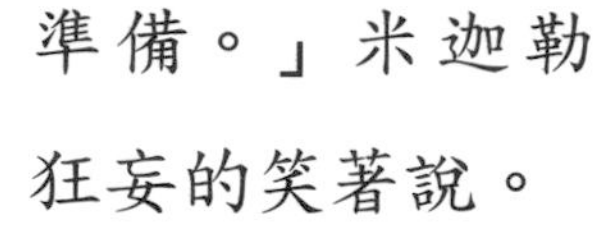

準備。」米迦勒狂妄的笑著說。

「你……到底對迦南做了什麼？」安德魯感到不寒而慄。

「安德魯，迦南終於醒來了！」史提芬匆匆忙忙跑來，把喜訊告訴安德魯。

你的惡夢才剛開始。

第十章

沉重的代價

病房內，迦南終於醒來了，安德魯懷著喜悅的心情飛奔去病房，他有很多說話想對迦南說。獵人公會已不復存在了，黑魔法派也不會再作惡，不會再有阻礙安德魯和迦南的東西了。

「迦南！」安德魯推開房門，看到坐在病床上的迦南他喜極而泣。

「安德魯……」但玥華卻**愁眉苦臉**，欲言又止。

「太好了！你終於醒來了！」安德魯急不可耐，跑到迦南身邊把她擁入懷中。

「那個……請問……」迦南充滿疑惑，慢慢把安德魯推開。

「嗯？你想問什麼？」安德魯還未意識到問題所在。

迦南認不出安德魯。

「**你怎麼了？是惡作劇嗎？你……當然認識我呀，我是安德魯，吸血鬼安德魯呀！**」安德魯被驚呆了，迦南的表情一點也不像在演戲。

「老婆，迦南她怎麼了？」史提芬聽得一頭霧水。

「媽媽……這裡到底是什麼地方？爸爸你

不是應該正在外地工作嗎？」迦南認得自己的父親，也認得自己的母親。但顯然她的記憶出問題，她忘記了父親真正的工作是魔幻學園的老師。

「迦南，你已昏迷七天了，你記得在失去意識前自己在幹什麼嗎？」玥華問。

「圖書館，對了！我在圖書館看到會行走和說話的蘑菇，於是我跟著它走，發現了一道奇怪的門！之後的事……我就不記得了。」迦南**興奮雀躍**地說。

「迦南……失憶了。」玥華說。

迦南失去近期的記憶，她的記憶倒退到第一次打開通往魔幻世界的大門前，那時候她還是普通的人界學生，還未入讀魔幻學園，更還未真正認識安德魯。

「*不只失憶，她的魔力也消失了。*」史提芬感覺不到迦南的魔力，就像回到封印解除前的狀態。

「是米迦勒……一定是他幹的！」安德魯氣沖沖的離開病房。

米迦勒得不到的，情願毀掉也不會讓別人得到。昔日他奪去迦莉的性命，現在她奪去了迦南對魔力有關的記憶。

安德魯再次去到監禁米迦勒的囚室，怒火中燒的他把魔力注入魔法杖，形成無堅不摧的黑暗魔劍。

告訴我！你到底對
迦南幹了什麼？

黑劍伸延至快要刺穿米迦勒的喉嚨。

「看來迦南終於醒來了，怎樣？喜歡我為你準備的禮物嗎？」米迦勒感到十分滿足，他要令安德魯像安格斯般痛不欲生。

「把迦南的記憶和魔力回復，不然我要你**人頭落地**！」安德魯散發濃烈的殺氣。

「儘管殺了我吧，反正沒有了魔力，我已失去活著的意義。」米迦勒**泰然自若**，沒有魔力的人生他不稀罕。

「但就算我死了，迦南也不會回復正常，不會想起你。」這是米迦勒早已在迦南身上施的魔法，若然迦南額頭上的幻之刻印消失，她的魔力和記憶也會一併消失。

「你這個惡魔……」安德魯沒有能威脅米迦勒的籌碼。

你奪去我最寶貴的魔力，我奪去你最深愛的女王，這不是很公平嗎？

米迦勒輸了，但他也不允許安格斯的轉世成為贏家。

安德魯得到了最強的力量，也排除了一切阻礙他和迦南的障礙，但現在迦南忘記了他，忘記這四年多以來和魔法有關的一切。

為了找出迦南到底出了什麼問題，西方魔幻王國的魔法御醫、東方聯合國的法術醫師、就連享譽人界的腦科醫生和心理治療師，也為迦南來到魔法新城市。

「我們實在找不出原因……她的身體沒有任何問題。」這是各大名醫**費煞思量**，得出的結論。

「會不會是暫時性的失憶？又或者是心理因素導致的問題？」玥華和史提芬相信女兒一定能回復正常。

「**不，只有米迦勒能解開的魔咒……**是我的錯，我不應該魯莽行事，如果我再謹慎小心，迦南就不會有事。」安德魯把錯誤歸咎在自己身上，覺得自己愧對了迦南。

直至夜深，安德魯也沒有再去探望迦南，但迦南的病房現在還擠滿了訪客。

「迦南，你真的想不起我們是怎樣認識嗎？」艾爾文試著喚醒迦南的記憶。

「對不起，我真的什麼也想不起來。」迦南感到**難堪**，大家也對她表現得十分親切熟悉，但她卻把他們忘掉了。

「那時候我們對你和安德魯做過很過分的事，但你們不但沒有記恨，還願意和我們結成好友。」那時候艾翠絲和哥哥也對吸血鬼充滿仇恨和偏見。

我呢？你把我仰慕多年的安德魯哥哥搶走了，你不記得了嗎？

你還未放棄嗎？安德魯是不會喜歡你的，不要自作多情了。

我到現在還是不敢相信，原來世上真的有吸血鬼，真的有魔法……我一直以為這些只是出現在魔幻小說的情節。

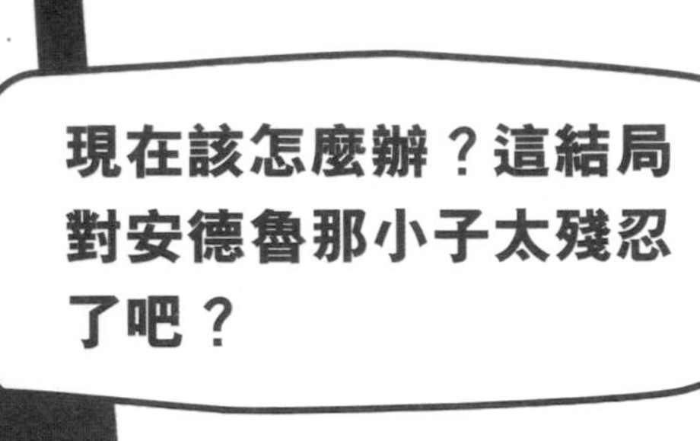

現在該怎麼辦？這結局
對安德魯那小子太殘忍
了吧？

「我也想不到辦法……若真的如安德魯所言，那能解開這魔咒的只有米迦勒，但他已魔力盡失，沒法解開他施下的魔咒。」舒雅也無能為力。

「**你們口中的安德魯是對我來說很重要的人嗎？**」迦南問。

「嗯……他抱著你的時候，你也沒有任何特別的感覺嗎？」玥華能想到安德魯現在有多麼心痛。

「沒有……但他令我想起，我常常發的那個夢。」迦南想起長有蝙蝠翅膀的男生，從漆黑的房間把她救出，在夜空飛翔的夢。

「可能時間久了，迦南會想起更多呢。時候不早了，我們還是不要妨礙她休息吧。」史提芬**束手無策**，唯有把希望寄托在明天。

徹夜難眠的安德魯在魔法新城市的大花園內呆坐了許久，除了自責外他想不到還有什麼能做。

「糟糕了！這時間竟然有人還未睡！」小貓女菲蕾和小靈不想睡覺，於是在深夜時分蹓躂到大花園遊玩。

「你們這樣學不乖，被阿諾特知道會大發雷霆的。」安德魯雖然在微笑，也難掩心中悲傷。

「安德魯哥哥，你在擔心什麼嗎？」小靈十分敏銳。

「我在擔心……**未來不會變得更好，失去了的東西永不復存在。**」安德魯說。

「小靈，你知道他在說什麼嗎？我完全聽不懂啊。」菲蕾輕聲說。

我也聽不懂，但關於未來，我可以這樣做。

小靈握住了安德魯的手，運起她的魔力。

「小靈……你在幹什麼？」安德魯看到小靈的雙手在發光。

我看到……你和迦南姐姐穿著校服，而且去了很多不同的地方……

那不是未來，而是我和迦南的回憶……

雖然只能看到零碎的片段，但天啟財團的人體實驗的確令小靈覺醒了預知未來的特殊能力。

「那就奇怪了，小靈只能看到未來，不能看過去啊。」菲蕾所言甚是。

「對了……你說得對，那可以是未來，回憶是可以重新創造的！」安德魯**靈機一觸**。

「小靈，大人說的話都這麼深奧的嗎？我完全聽不懂啊。」菲蕾輕聲說。

「我也聽不懂……」小靈尷尬地說。

「謝謝你們！我不會告訴阿諾特你們偷偷走出來玩的！」安德魯興奮地抱著小靈和菲蕾轉圈。

就算迦南以後也想不起過去的回憶，安德魯也可以和她一起創造新的經歷。愛情是感覺而不是記憶，如果兩人真心相愛，就算失去記憶也能重新愛上。

翌日早上，安德魯再次來到迦南的病房，鼓起勇氣向迦南提出請求。

「你願意和我一起前往魔幻世界，重返我們曾去過的地方嗎？」安德魯問。

「的確，重遊舊地也許對迦南回復記憶很有幫助。」玥華點頭同意。

「但魔法新城市還在建設初期，我們暫時不宜離開這裡……只有你們兩個不會有問題嗎？」史提芬**猶豫不決**。

「我一定會好好照顧迦南的，請你們相信我。」安德魯以誠懇的態度說。

「我們當然相信你，但也要看看當事人的意願呢。」玥華相信有魔界之王在迦南身邊，很難會遇上危險。

「迦南，你意下如何？」史提芬把決定交給女兒。

迦南雖然忘記了安德魯，但本能告訴她想要留在眼前人身邊。

安德魯向舒雅爭取了一個月假期，一個月後他必須重返魔法萬事屋繼續實習。**這天安德魯和迦南再次穿上魔幻學園的校服，開始回復記憶的旅程。**

下回預告

我的
吸血鬼同學

安德魯和迦南踏上尋回記憶和魔力的旅程，

能喚醒迦南的關鍵到底是什麼？

六年的魔幻學園生活終於到達尾聲，安德魯

和迦南將何去何從？

vol.25 大結局！

2024年7月出版

創造館首本
巫夢妮
對塔羅占卜、紫微斗數、星座運程等占星學說和心理學有濃厚興趣。
陳超賢
鍾情熱衷於UFO、外星人等超自然現象，常常被同齡的人當成怪胎。
不准尖叫學會
全新創作組合
魔幻小說作家
陳四月
IG 10萬followers 插畫家
Nagi

期待度最高的
第二季！

再度攜手寫下
大學篇精采故事～♥

原班創作人馬

作者　插畫

卡特 × 魂魂SOUL

載譽歸來！

消息一出——

Hazel Ng OMG! YES!

Lam Keira 最愛小綾！！！啊啊啊啊啊啊
期待了很久終於出第二季！！！

Wing Cheung 好期待呀！

Karine 恭喜出第二季！YEAH！

Keaixianonaliao 紫語短髮新造型好好睇！

念念不忘　必有迴響

—— 2024年7月書展 ——

七個美少女再度登場

我的吸血鬼同學

創作繪畫　余遠鍠
故事文字　陳四月
策劃　YUYI
編輯　小尾
設計　陳四月
校對　Eva Lam
實景　張耀東
製作　知識館叢書
出版　創造館
CREATION CABIN LTD.
荃灣美環街 1-6 號時貿中心 6 樓 4 室
電話　3158 0918
發行　泛華發行代理有限公司
香港新界將軍澳工業邨駿昌街七號二樓
印刷　高科技印刷集團有限公司
出版日期　2024 年 5 月
ISBN　978-988-70524-5-6
定價　$78
聯絡人　creationcabinhk@gmail.com

本故事之所有內容及人物純屬虛構，
如有雷同，實屬巧合。